닭의장풀

닭장 옆에서도 잘 자란다고 해서 붙여진 이름이에요.
6월부터 길가나 산에서 흔히 볼 수 있는 풀꽃으로,
'달개비'라고도 불려요.

봉숭아

여름에 꽃을 피우는 대표적인 식물로,
색깔도 다양하고 모양도 다양해요.

갈퀴덩굴

씨와 이파리, 줄기에도 가시가 있어서 옷에 들러붙어요.

분꽃

저녁때에 꽃잎이 벌어졌다가 다음 날 아침에 오므라들어요.

초롱꽃

꽃 모양이 초롱처럼 생겼어요.
아래를 보고 피어 마치 등을 주렁주렁
달아 놓은 것처럼 보여요.

갈대

강이나 늪, 연못가 등 물가에서 자라요.

누에콩과 친구들의 하늘하늘 풀놀이

글·그림 나카야 미와 | 옮김 김난주

싱그러운 여름이에요.
해님도 방긋, 날씨가 참 좋아요.
누에콩은 눈부신 아침 햇살을 맞으며 반짝 눈을 떴어요.

"누에콩아, 안녕!"
껍질콩과 완두콩 형제, 땅콩, 초록풋콩이
누에콩을 찾아왔어요.

들판에 모인 누에콩과 콩알 친구들은 준비해 놓았던 커다란 조릿대를 들고
곧바로 강으로 향했어요.
"오늘은 진짜 멋진 걸 만들 거야!"

강가에 도착한 누에콩과 콩알 친구들은 조릿대 이파리를 조심조심 자르고
차례차례 접어서…… 멋진 배를 만들었어요!

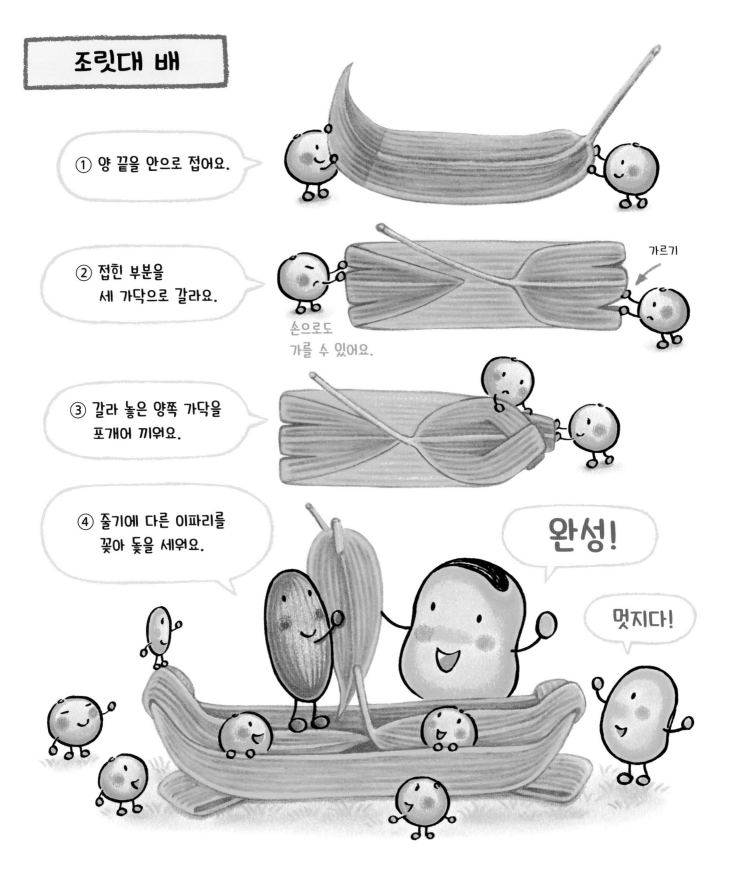

다 함께 완성된 조릿대 배에 올라타자, 배는 강물을 따라 쓱쓱 앞으로 나아갔어요.
바람이 얼마나 상쾌한지 몰라요!

"누에콩아, 안녕!"
그때, 저 멀리에서 호랑이콩과 병아리콩 형제, 깍지콩 자매가 손을 흔들었어요.

오랜만에 만난 친구들은 반갑게 인사를 나눴어요.
"근데 누에콩아, 여기까지 저 배를 타고 온 거야? 멋지다!"
호랑이콩의 말에 누에콩이 대답했어요. "응! 조릿대 이파리로 만들었어."

"이파리로 배를 만들 수 있어?" 병아리콩 형제는 깜짝 놀라 물었어요.
"그럼! 다른 장난감도 많이 만들 수 있어. 우리가 가르쳐 줄게!"
누에콩이 신이 나서 말했어요.

갈퀴덩굴 다트

① 줄기에서 이파리를 떼어 내요.

줄기

이파리

갈퀴덩굴

이파리와 줄기에 가시가 있으니 조심조심!

② 점수판을 만들어요.(갈퀴덩굴 이파리가 붙기 쉬운 천으로 만들어요!)

③ 점수판을 향해 이파리를 힘껏 던져요!

누가 누가 잘하나?

10 30 50 80 100 80 50 30 10

으쌰!

휘이!

강아지풀 애벌레

이번에는 강아지풀이야! 강아지풀은 들판 여기저기에 많이 돋아 있어. 단단하고 예쁜 줄기 두 개를 찾아봐!

강아지풀 →

① 줄기 하나로 강아지풀 애벌레를 만들어요.

줄기를 조금 남겨 놓고 잘라요.

② 다른 줄기는 이삭을 툭툭 털어서 채로 만들어요.

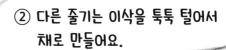

이삭 끝을 조금 남겨요.

다 같이 겨뤄 보자!

앞으로, 앞으로!

③ 강아지풀 애벌레를 땅에 놓고 채로 꼬리를 치면 앞으로 나아가요!

억새 이파리 표창

① 네 장의 이파리를 같은 길이로 잘라 가운데를 접어요.

← 억새

여름 억새에는 초록색 이파리가 많이 달려 있어!

② 접힌 틈 사이로 이파리를 하나씩 엮은 후 양 끝을 잡아당겨요.

영차!

영차!

③ 날개의 길이를 맞춰 잘라요.

싹둑!

싹둑!

한가운데를 테이프로 고정하면 더 잘 날아요!

표창 완성!

우아!

솔잎 씨름 놀이

공원이나 놀이터에 떨어져 있는 솔가지를 모아요.

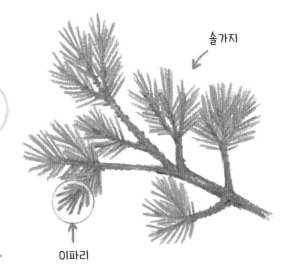

솔가지

이파리

① 솔잎을 모아서
고무줄로 묶어요.

팔을
만들어요.

이파리 끝이
밑으로 오게 해요.

얼굴

옷

누에콩

호랑
이콩

② 종이로 옷과 얼굴을 만들어
풀로 붙이고 고무줄로 고정해요.

③ 상자로 모래판을 만들어요.

상자 테두리를 툭툭 치면서
씨름을 해 봐!
쓰러지는 쪽이 지는 거야.

툭툭   툭툭

누에콩과 친구들은 들에 돋아 있는 이파리로
여러 가지 장난감을 만들어 신나게 놀았어요.

얘들아,
우리 파티하자!

그때, 껍질콩 친구들이
누에콩과 콩알 친구들을 불렀어요!

"어서 와!" 너른 들판에는 먹음직스러운 김밥과 주스가 가득 놓여 있었어요.
"와, 맛있겠다!" 누에콩이 한입 크게 먹으려고 하자, 깍지콩 자매가 웃으며 말했어요.
"누에콩아, 이건 진짜로 먹는 게 아니야."

"참, 그렇지……. 그래도 다 함께 모여 파티 놀이 하니까 정말 재밌다!"
"너무 즐거워! 근데 껍질콩아, 이 음식은 어떻게 만들었어?" 호랑이콩이 물었어요.
"아주 간단해! 내가 가르쳐 줄게."

① 머위 줄기는
안이 비어 있어서,
자르면 구멍이
보여요.

머위

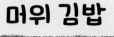

② 구멍 속을
예쁜 꽃잎으로
꼭꼭 채워요.

③ 꽃잎으로 채운 줄기를 같은 크기로 잘라요.

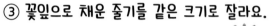

머위 이파리는
접시로 사용하면 좋아!

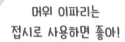

차례차례
예쁘게 담아야지.

꽃물

① 시든 꽃을 물에 담가
조물조물 비벼요.

② 꽃을 꺼내 물을 꽉 짜면
고운 색깔의 꽃물이 생겨요!
(꽃물은 먹을 수 없어요!)

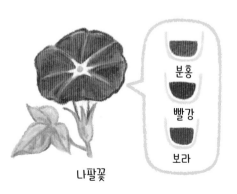

분홍

빨강

보라

나팔꽃

파랑

닭의장풀

많이 만들어요!

빨강

봉숭아

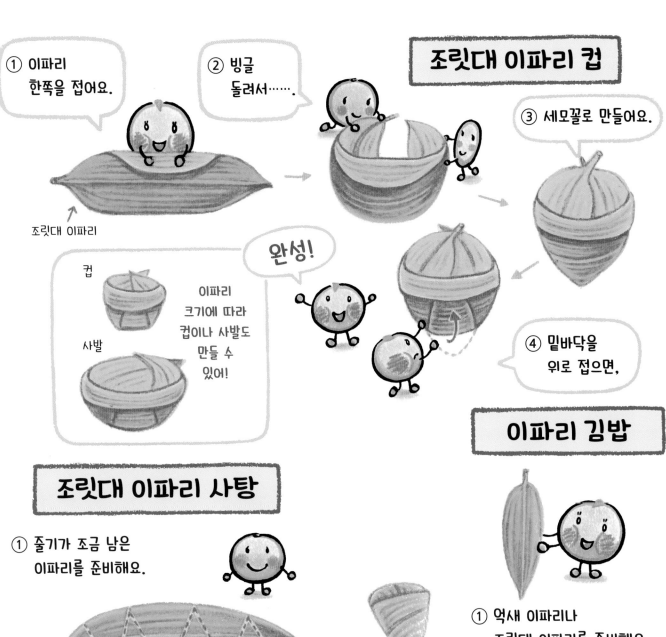

조릿대 이파리 컵

① 이파리 한쪽을 접어요.

② 빙글 돌려서…….

③ 세모꼴로 만들어요.

④ 밑바닥을 위로 접으면,

조릿대 이파리

완성!

컵

사발

이파리 크기에 따라 컵이나 사발도 만들 수 있어!

조릿대 이파리 사탕

① 줄기가 조금 남은 이파리를 준비해요.

② 점선을 따라 세모꼴로 접어요.

③ 남은 줄기를 안쪽으로 밀어 넣어서 빼면,

④ 완성!

이파리 김밥

① 억새 이파리나 조릿대 이파리를 준비해요.

② 꽂잎을 이파리로 돌돌 말아요.

③ 짧은 줄기로 고정해요.

신나게 놀다 보니 어느덧 해가 저물고 있었어요.
"얘들아, 모두 나를 따라와 봐!" 호랑이콩이 말했어요.

모두 호랑이콩을 따라 들판을 오르자, 눈앞에 예쁜 분꽃이 활짝 피어 있었어요.
분꽃은 해가 질 무렵에 꽃잎이 벌어지는 참 신기한 꽃이에요.

분꽃 놀이

낙하산

꽃받침을 살며시
아래로 잡아당기면서
위로 던지면 낙하산처럼
하늘하늘 떨어져요.

꽃받침 →

얍!

"우리, 이번에는 분꽃으로 재미난 놀이를 해 보자!"
누에콩은 친구들에게 낙하산 만드는 법을 가르쳐 주었어요.
"분꽃으로 이렇게 재미있게 놀 수 있구나!"

"이것 봐, 죽방울도 만들 수 있어!" 초록풋콩이 말했어요.
"정말이네? 나도 해 볼래!"
완두콩 형제도 죽방울을 만들어 보았지만, 이런…… 그만 끊어지고 말았어요.

그때, 누에콩이 분꽃 사이에서 까만 씨 하나를 발견했어요.
"엇, 이게 뭐지? 우리가 한번 알아보자!"
함께 모여 씨를 깨트리자, 안에서 하얀 가루가 나왔어요.

하얀 가루는 마치 얼굴에 바르는 분가루 같았어요.

"아하, 그래서 분꽃이라고 하는구나!" 누에콩과 친구들은 하얀 가루를 얼굴에 발라 보았어요.

"와하하하! 얼굴이 이상해졌어!" 모두 서로의 얼굴을 보면서 즐겁게 웃었지요.

"와! 별이다!"

즐겁게 놀다 보니 해가 완전히 저물고 말았어요.

"얘들아, 이제 돌아가야겠어!"

강가로 돌아오자, 호랑이콩이 환한 등불 하나를 건네주었어요.
"누에콩아, 이거 가져가!" "초롱꽃 등불이잖아? 고마워."
"집에 도착하면 잊지 말고 꼭 끈을 풀어 봐. 그럼, 조심히 가!"

호랑이콩이 인사를 건네자, 모두 손을 흔들었어요.
"응. 우리 다음에 또 같이 놀자!"
배에 올라탄 누에콩과 콩알 친구들은 집을 향해 스륵스륵 노를 저었어요.

얼마 후, 사방이 완전히 캄캄해졌어요.
"등불이 있어서 정말 다행이야!"
호랑이콩이 준 등불이 주위를 밝게 비춰 주었어요.

집에 도착한 누에콩과 콩알 친구들은 조심스레 등불의 끈을 풀었어요.
그러자 조그만 빛이 둥실 하늘로 날아올랐어요.
"반딧불이었구나! 밝게 비춰 줘서 고마웠어!"

이제 잘 시간이 되었어요.
푹신푹신한 침대에 눕자, 누에콩은 금방 잠이 왔어요.
"정말, 재미있는 하루였어. 역시 친구들과 함께 노는 건 너무 신나!"
누에콩은 그 어느 때보다 행복하게 잠들었답니다.

글을 쓰고 그림을 그린 **나카야 미와**는

일본에서 태어나 그래픽 디자인을 전공하고, 캐릭터 디자이너로 일했습니다.

주요 작품으로는 〈도토리 마을〉 시리즈, 〈누에콩〉 시리즈, 〈채소 학교〉 시리즈 등이 있습니다.

귀여운 캐릭터들의 활약이 돋보이는 유쾌한 작품들을 주로 선보여 큰 사랑을 받고 있습니다.

글을 옮긴 **김난주**는

대학에서 우리 문학을 공부하고 일본에서 일본 근대 문학을 연구했습니다. 지금은 일본 문학 번역가로 활동하고 있습니다.

옮긴 책으로는 〈누에콩의 기분 좋은 날〉, 〈누에콩과 콩알 친구들〉, 〈도토리 마을의 1년〉, 〈도토리 마을의 빵집〉,

〈까만 크레파스〉, 〈채소 학교와 파란 머리 토마토〉, 〈몬테로소의 분홍 벽〉 등이 있습니다.

웅진주니어

누에콩과 친구들의 하늘하늘 풀놀이

초판 1쇄 발행 2020년 5월 13일 | 초판 5쇄 발행 2022년 9월 7일 | 글 · 그림 나카야 미와 | 옮김 김난주 | 발행인 이재진 | 편집장 안경숙
편집 이선미 | 디자인 임동기 | 마케팅 정지운, 김미정, 신희용, 박현아, 박소현 | 제작 신흥섭 | 국제업무 장민경
펴낸곳 (주)웅진씽크빅 | 주소 경기도 파주시 회동길 20 (우)10881 | 문의전화 031)956-7404(편집), 02)3670-1191, 031)956-7065, 7069(마케팅)
홈페이지 www.wjjunior.co.kr | 블로그 wj_junior.blog.me | 페이스북 facebook.com/wjbooks | 트위터 @wjbooks | 인스타그램 @woongjin_junior
출판신고 1980년 3월 29일 제406-2007-00046호 | 제조국 대한민국 | 원제 そらまめくんの　はらっぱあそび：なつの いちにち
한국어판 출판권 ⓒ 웅진씽크빅, 2020 | ISBN 978-89-01-24211-8 · 978-89-01-02697-8 (세트)

SORAMAMEKUN NO HARAPPA ASOBI · NATSU NO ICHINICHI
by NAKAYA Miwa
© 2017 NAKAYA Miwa
All rights reserved.

Original Japanese edition published by SHOGAKUKAN.
Korean translation rights arranged with SHOGAKUKAN through THE SAKAI AGENCY and BC AGENCY.
Korean translation copyright © WOONGJIN THINK BIG CO., LTD.,2020

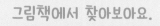 그림책에서 찾아보아요.

누에콩의 친구들을 소개합니다.

누에콩

기운차고 명랑한 친구예요.
커다랗고 포근한 침대가 보물이에요.

동생들

형

누나

완두콩 형제들

언제 어디서나 함께 지내는 사이좋은 형제예요.

껍질콩

야무진 친구예요.

땅콩

모두에게 친절한 친구예요.

초록풋콩

성격이 밝고 노래를
무척 좋아하는 친구예요.